屁屁侦探

众所周知的名侦探。
无论何时都能冷静地
把案件"噗噗"地解决掉。

小狗布朗

屁屁侦探的搭档。
总是我行我素地转来转去。

龟小路案件的家庭

城里的大富豪。本次案件的委托人。
伴随梦幻的彩虹钻石，一起被卷入不幸的案件中。

龟小路万年
龟小路的一家之主。

龟小路绿子
龟小路的长女。

龟小路奥年
龟小路的长子。

龟小路海
龟小路的妻子。

汪时代警察局成员

正义感很强。不善于解决有难度的案件。

龟小路家的工作人员

在豪宅内负责打扫卫生、洗衣服等工作。

城里的人们

城里住了很多的居民。

勇敢的
考拉

画家
亚嘎鲁

梦幻舞蹈演员
休豹虎

孤独的青年
根暗耐耳

一根筋的选举人
聪明猴

新闻主编
鲱川拳骨

占卜师
蚯蚓妈妈

贪吃鬼
黑田短吻鳄

爱花如痴的
猫喵子

设计师
黑佬海獭

卖故事的诗人
五坛

报道独家新闻的
摄影师
龟龟男

屁屁侦探
寻找彩虹钻石

［日］Troll / 文、图　甜老虎 / 译

什么？女儿被绑架了？
找不到彩虹钻石就救不了她？
嗯嗯，明白了。
赶紧去一趟豪宅吧。

北京联合出版公司
Beijing United Publishing Co.,Ltd.

我是屁屁侦探，我的工作就是解决各种各样的案件。
这次被委托的案件是被绑架的女儿和彩虹钻石……
噗，有可疑的味道。

"啊！你好好听我说。我今天早上起来，发现女儿已经被人绑架了，只找到了这样一封信。"

"想要回女儿的话，今天晚上带着彩虹钻石来港口。"

"据说彩虹钻石是闪耀着七彩光芒的梦幻宝石，先祖把宝石藏在了宅子里的某个地方。线索除了这个卷轴，别无其他。"

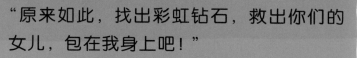

"原来如此，找出彩虹钻石，救出你们的女儿，包在我身上吧！"

呜 呜

那么，赶紧拜读一下刚才的卷轴吧！

拿着 和

通往宝石道路的指示

噗，有可疑的味道。
"拿着剑和盾……那是盔甲了。您家有吗？"

盔甲，走廊有……

这些是先祖的收藏品。

是这个。
"哎？盾上刻的有什么东西。"

在浴室
寻找 ★
通往宝石道路的
指示

噗，有可疑的味道。
"去浴室调查一下吧。"

浴室里会有
什么呢?

放大镜
模糊了.

为了大家才
盖得这么大.

好大的
浴室啊.

  大厅到了。噗，画着 的肖像画是哪个呢？

我的肖像画
也正在绘制哦。

大家的
脸都好
像啊。

是这张画像。
"哎？这里面写了什么。"

在院子里的

雕塑下等待
通往宝石道路的
指示

噗，有可疑的味道。
"去调查一下院子吧。"

呼——这次是院子吗?
真的有彩虹钻石吗?

我的院子还挺大的。

眼镜丢了

“哇！这个闪耀着七彩光芒的宝石就是彩虹钻石！！”
“噗，真是不同寻常的光芒。”
拿到宝石
就要
接上一剑
叫作彩虹钻石正是因为像彩虹一样啊。
不会是幻觉吧。

“写的有什么东西。”
弄脏了
真不好念啊。
拿到宝石
就要
接上一剑
汪！汪！

"这样我就可以救我的女儿了！"
"啊！请等一下，龟小路先生。
好像有什么机关。"

"拿走宝石会触动机关，
石像的剑就会落下来。"

"终于安全地拿到了宝石，赶紧去港口救您的女儿吧。"

到了港口。嫌疑人已经在这儿了。

"彩虹钻石已经带来了。
快把小姑娘交出来。"

"哎？难不成你是在豪宅里面工作的人？"

"咔咔哈哈！正是如此。我的真实身份是宝石收藏家。
为了确认彩虹钻石是否真的存在，才隐藏身份潜入豪宅。"

快把彩虹钻石交出来!

啊，救命啊!

可恶! 没发现啊.

“呵，不要再纠缠不休了，
我是不会把彩虹钻石还给你的。”

“噗，稍等一下。
如果你喜欢发光的东西，
我可以让你看一个
比彩虹钻石还要耀眼的东西。”

“有着黄金般的……”

“耀眼的光辉……”

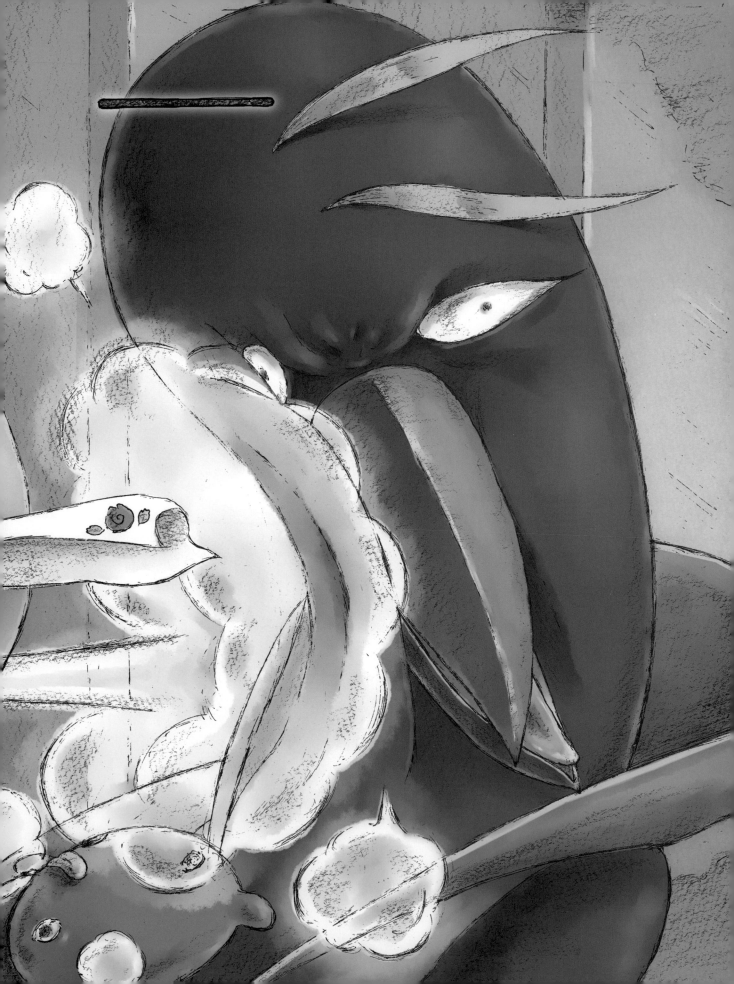

噗——
"彩虹钻石要物归原主了。
为了得到钻石，竟然去绑架柔弱的少女，
你的心已经被蒙蔽了。
你不配得到闪耀美丽光芒的钻石。"

好……臭……
眼冒金星了……
嘎咕。

"女儿没事真是太好了。彩虹钻石也物归原主了。"
"多亏了屁屁侦探。我的女儿有个请求。
为了向您表示感谢，
想邀请您来参加我家的感谢宴。"

"**非常感谢您，屁屁侦探！**"

噗，已经没有可疑的味道了。
只有美味菜肴的味道。

作者简介：
Troll（文、图）

作者近照?

Troll 是田中阳子（文字作者，生于1976 年）和深泽将秀（图画作者，生于 1981 年）搭档的绘本创作组合。本书是他们的第 2 部绘本作品。

看完绘本有什么感想，可以告诉我哦。

图书在版编目（CIP）数据

屁屁侦探．寻找彩虹钻石 / 日本 Troll 文图；甜老虎译．—北京：北京联合出版公司，2016.10（2020.12 重印）
　ISBN 978-7-5502-8623-8

　Ⅰ.①屁… Ⅱ.①日… ②甜… Ⅲ.①儿童故事 – 图画故事 – 日本 – 现代 Ⅳ.① I313.85

　中国版本图书馆 CIP 数据核字（2016）第 218945 号

OSHIRI TANTEI PUPU RAINBOW DAIYA WO SAGASE!
Text & Illustrations by Troll
Text & Illustrations copyright © 2013 Troll
All rights reserved.
First published in Japan in 2013 by POPLAR Publishing Co., Ltd.
Simplified Chinese paperback translation rights arranged with POPLAR Publishing Co., Ltd.
through FUTURE VIEW TECHNOLOGY LTD., TAIWAN.
Simplified Chinese paperback translation rights © 2016 by Beijing Yutian Hanfeng Books Co., Ltd.

著作权合同登记号　图字：01-2016-4436 号

屁屁侦探

寻找彩虹钻石

[日] Troll / 文、图　甜老虎 / 译

选题策划 / 禹田文化	**项目编辑** / 陈 婉　殷学连	
责任编辑 / 张 萌	**装帧设计** / 沈秋阳	
版权编辑 / 杨 娜　黄春琦	**内文设计** / 张 喆	

北京联合出版公司出版
（北京市西城区德外大街 83 号楼 9 层　100088）
小森印刷霸州有限公司印刷　新华书店经销　字数 4 千　202 毫米×260 毫米　16 开　2.5 印张
2016 年 10 月第 1 版　2020 年 12 月第 18 次印刷　ISBN 978-7-5502-8623-8
定价：16.00 元

退换声明：若有印刷质量问题，请及时和销售部门（010-88356856）联系退换。

屁屁侦探将委托人的女儿噗噗地救出！

昨天，城里的大富豪龟小路万年（61岁）的女儿绿子（8岁）被绑架。屁屁侦探侦破案件，已将绿子安全解救。嫌疑人是自称"宝石收藏家"的乌鸦光（42岁）。

乌鸦光表明，"想要用宝石装饰自己黝黑的身体"是其作案动机。是否有其他宝石也遭抢动，警方正在调查中。

▲ 精神抖擞地去往公园追捕犯人的屁屁侦探（摄影：龟龟男）

街角焦点 ☺☺

"最近，热情的粉丝纷纷加入到我的模仿秀节目中来，""我的梦想是用我的热情。"休豹虎（28岁）说，"我的梦想是让这个城市更多的人欣赏到彩虹钻石的光芒。"

舞蹈带给这个城市更多的热情。休豹虎是一位职业舞者，为了实现自己的梦想，她每天都在街角跳舞。

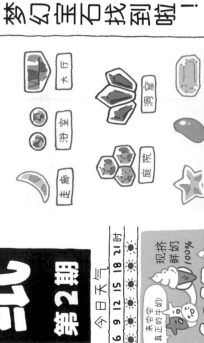

梦幻宝石找到啦！

在"龟小路绑架案"的调查中，著名的彩虹钻石被找到。此钻石被称为"梦幻宝石"，世界上仅此一枚。为了能让更多的人欣赏到彩虹钻石的光芒，龟小路先生举办了公开展览活动。

大厅　洞窟　浴室　庭院　走廊

今日天气　6　9　12　15　18　21时

现挤鲜奶 100%
来尝尝真正的牛奶！

大丢了？

大生的七个孩子走丢了，由于没有案件性，所以没有立案，希望可以尽快平安地找回孩子们。

▲ 从左上到右边是，野鸭一郎、野鸭次郎、野鸭三郎、野鸭四郎、野鸭五郎、野鸭六郎、野鸭七郎。

走丢的七个孩子

大家的打油诗角

问问星星，我的故乡，在哪儿啊？（根暗耐耳，18岁）

闭上眼睛，映到眼前的，是一张屁屁的脸。（绿子，8岁）

哈哈哈哈哈，呼呼呼呼，好洗澡水啊！（最爱泡澡，45岁）

期待大家的打油诗！投稿请至编辑部打油诗组！

蚯蚓妈妈占卜师的

如果能够在大富豪家的院子里找到一枚四叶草，叶子的三叶草，将会非常幸运哦。

招聘信息！

警卫大欢迎！

想来和我们一起工作吗？

欢迎来明亮多彩工作场所！

报名资格：
・不说谎的人
・不乱装水的人

工作内容：
・打扫流刷
・给花浇水

·肖像定制·

现实主义巨匠所绘的肖像，感觉如何？

亚... 画

猴子花园

~将您脑海中的院庭重现~

大主编专栏

真是一个绝美的季节。诸位读者过得如何？前几天，我在公园的长椅上坐着的时候，被一个飞来的空罐子砸到了头。空罐子扔到拉圾箱里不是人人的头，还是扔到我头上吧。另外，把空罐子扔到我头上的那位，请跟我们编辑部联系一下。因为我是绝对不会生气的。

·活动信息·

港口公园里，万力丸！号的灯光秀已经开始啦！

您会冰浴到与白天迥异的梦幻灯光，周六日还将举办各种各样的活动，无论如何请挪动那双腿一看究竟吧！

寻拉小朋友 奋斗！

员降子（28岁）的挎包在公园被抢，考拉小朋友（8岁）碰巧在场，将抢劫犯的线索提供给追踪的警察。为了表示感谢，降子赠送考拉小朋友一年份的SOFT冰激凌。

▲ 表情冷淡地接过SOFT冰激凌的考拉小朋友。